阆苑仙境话生肖

摄影 潘明清

生肖文化丛书

生肖你我她
SHENGXIAO NI WO TA

张瀚文 罗修德 著

解读你的运程
解读我的团队
解读她的姻缘

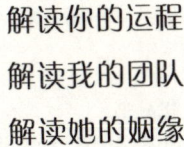

三秦出版社

图书在版编目（CIP）数据

阆苑仙境话生肖/张继军，罗修德著.—西安：三秦出版社，2009.9

（生肖文化丛书）

ISBN 978-7-80736-695-9

Ⅰ.阆… Ⅱ.①张… ②罗… Ⅲ.十二生肖-通俗读物 Ⅳ.K892.21-49

中国版本图书馆CIP数据核字（2009）第168388号

生肖文化丛书
生肖你我她——阆苑仙境话生肖

张继军　罗修德　著

出版发行	三秦出版社
	新华书店经销
社　　址	西安市北大街147号
发行电话	（029）87205121
垂询电话	（0817）6225777
邮政编码	710003
印　　刷	蓝田立新印务有限公司
开　　本	720×1000　1/32
印　　张	36
字　　数	66千字
版　　次	2009年12月第2版
	2011年10月第3次印刷
印　　数	12501-24900套
标准书号	ISBN 978-7-80736-695-9
单册定价	6.50元
全套定价	78.00元
网　　址	WWW.sqcbs.com

引　言

　　盛唐双奇袁天罡、李淳风晚年退隐于被称为人间仙境的四川阆中,常常一起谈风论水推测后世,并遗存有大量的天象和风水方面的书籍,尤以《推背图》久负盛名。这套小书是风水馆张瀚文馆长和罗修德风水大师根据这些遗存,经过多年的研究编写而成的。

　　阴历是世界上流传最久的历法。黄帝在位61年时,产生了一道十二宫历法的首轮称为甲子,每一甲子为期60年,由5个分期构成,每个分期12年,我们称为五子运。每一年都以一个"动物符"作标记,我们称之为生肖。关于十二生肖源于何时及其排列,有各种传说,至今难以细考。这类故事,或似开心解闷的笑谈,或似贬恶扬善的寓言,文学成分较浓。

古代也有这样的传说,玉皇大帝99岁寿辰时,王母娘娘在阆苑仙境为他举行盛大的宴会,天上人间各路神仙纷纷前来贺寿,最先到来的动物神是老鼠,接着是牛、虎、兔、龙、蛇、马、羊、猴、鸡、狗、猪。玉皇大帝就按这些动物到来的先后顺序分别封以不同的年号,配以不同的时辰,作为对它们的赏赐。从此,"鼠咬天开"后的小老鼠就幸运地坐上了十二生肖的头把交椅,新一轮的五子运也从鼠年开始了。

代表生肖的动物符分别与自然界中的木、火、土、金、水五行相对应。五行又按磁场的正负极分为两极,即中国人所谓的阴和阳。

在阴历中,每天分为12更,每种动物符代表1更,昼始于子夜11时。阴历中的动物符对人的影响也是十分强烈的。属相中的12种动物分为阴阳两类。鼠、虎、龙、马、猴、狗属阳性，牛、兔、蛇、羊、鸡、猪属阴性。

12种动物属相除了其表示年的五行外，还有其固定的五行与季节对应。猪、鼠、牛为冬天，方位北方，季节色为蓝色，五行属水；虎、兔、龙为春天，方位东方，季节色为绿色，五行属木；蛇、马、羊为夏天，方位南方，季节色为红色，五行属火；猴、鸡、狗为秋天，方位西方，季节色为黄色，五行属金。

古代圣贤说，土生万物，因为它是金、木、水、火四行合一的象征，便不能与十二属相中任何动物相对应。有些算命人士指土为本行，从而以牛代水、龙代木、羊代火、狗代金。

在没有现代方法观测气象的时代，中国人便利用了阴历来预测雨雪到来的季节。时至今日，人们仍然相信阴历的真实可靠性。人们会发现，如果某年五行标志为水，那么这一年很可能会发生决堤或洪灾，这取决于阴阳两极哪个的影响力更强些。

你也许会对春季的第一天感兴趣，皇历中谈到，这一天鸡生的蛋能立起来，请你不妨试一试。如果有缘，你会见证的。阴历中春季到来的这一天称为"立春"，通常是阳历2月4日或5日。阴历节气是变化无常的，某些阴历年中也许会出现两次立春的情况，而某些阴历年根本不存在立春。中国的占卜者们称无立春之年为"盲年"，因为人们"看"不到春季的第一天。因此，在这样的年份里是忌讳娶亲的。

在这本小书中，你会发现、知晓深藏于你内心和他人内心深处的秘密。这样，你不仅会了解自己，而且还会知道你个人与事业的关系，知晓生活中会发生的事情。

同时这本小书能帮助你从另外一个角度观察自己，观察你宜与周围哪些人组成最好的朋友或团队，观察宜与哪个属相的人与你结合的婚姻是幸福美满的。它会使你理解主宰你的"狗"为什么会偶尔让你表现出急躁,属马的人易变、不安静特点的由来,以及为什么属龙的朋友会盛气凌人、花钱讲排场,还有蛇年出生的人为什么会有多疑的性格。你也许会吃惊地发现,有些工匠善于修理各种各样的东西,是因为他们出生于使他们聪明智慧的猴年。另外你还会看到那些动作迟缓、自信甚至保守的银行家们多是出生在充满自信的牛年。

也许这本书能让你进入理解命运和造化的神秘之门,甚至可以帮你作出重大决定。人生路上你会倾听蛇的机敏语言、寻求羊的温柔与同情心、获得猴的聪明智慧、共享马的快乐、欣赏兔的善交能力、用狗的忠诚交朋友、依靠虎的热情点燃生命之火、以鼠的勇于进取去完成伟业……

愿《生肖你我她》成为你为人处世的指南、美满婚姻的处方、幸福生活的源泉。

春

生肖 五子運	鼠	牛	虎	兔	龍	蛇	馬	羊	猴	雞	狗	豬
水運	甲子	乙丑	丙寅	丁卯	戊辰	己巳	庚午	辛未	壬申	癸酉	甲戌	乙亥
火運	丙子	丁丑	戊寅	己卯	庚辰	辛巳	壬午	癸未	甲申	乙酉	丙戌	丁亥
木運	戊子	己丑	庚寅	辛卯	壬辰	癸巳	甲午	乙未	丙申	丁酉	戊戌	己亥
金運	庚子	辛丑	壬寅	癸卯	甲辰	乙巳	丙午	丁未	戊申	己酉	庚戌	辛亥
土運	壬子	癸丑	甲寅	乙卯	丙辰	丁巳	戊午	己未	庚申	辛酉	壬戌	癸亥

冬　　　　夏

秋

目 录

酉　鸡 …………………………………… 1

鸡　年 …………………………………… 3

属鸡人的性格 …………………………… 5

属鸡的儿童 ……………………………… 11

属鸡人的起名 …………………………… 14

属鸡人的五种类型 ……………………… 16

属鸡人与时辰的对应关系 ……………… 22

属鸡人在其他生肖年中的运程 ………… 35

属鸡人生月趣解 ………………………… 48

属鸡人生日趣解 ………………………… 52

属鸡人的姻缘 …………………………… 59

吉祥四季　平安一生 …………………… 84

阆中风水博物馆 ………………………… 86

酉 鸡

（圆明园十二生肖铜兽首）

鸡

我通报着一天的到来,
转告人们每日的结束
精确准时的报晓
使我赢得美名
我追求世间的和美
安排万物的复苏
我是劳作的主人
又是不倦的化身
在这个世界里
我愿为我的事业献身
我是——鸡

鸡年

吉祥如意

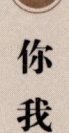

乐观、活跃的猴年结束了，我们迎来了新的一年——鸡年。鸡年是人们过分自信的一年。这一年易使人们的头脑发热，想一些荒谬的事情去做。色彩绚丽的"鸡"在这一年会给人们带来欢乐，同时也是在消耗人们的精力。这一年最好看准了方向，勤于实践，沿着自己有把握的轨道前行。这一年不宜撰写容易引起争论的流行读物，也不宜实施冒险的发财计划。

这一年人们要克制自己，不要做鲁莽的事情，不要猎捕野禽。否则，你不但扫兴，还会与人发生争执。"鸡"喜欢夸耀自己，以他飞扬跋扈的姿态所支配的一年还会给人们带来很多麻烦。但是，'鸡'又是善于管理的象征，是忠于职守公正监督的体现。所以这一年基本是和平的，有小动荡、小争执都无碍于稳定大局。

我们指望在这一年以求耗费小的精力，不断获得大的收获，而不要耗尽精力去冒险。要小心谨慎，不要贪高求大，否则会碰得头破血流。

这一年里人们容易被简单的事情复杂化。此外，这一年基本上是轻松、快活的一年。鸡无论在哪里总不会两手空空，所以，这一年比较丰裕，不会有挨饿的现象发生。

这一年，你要眼观六路，不可轻易丧志。在没有获得可靠的依据之前，或碰到不大了解的人，不要冒失行事。人们在这一年不会遇到大难之事，经济也还乐观，只是精神上略有些紧张罢了。

属鸡人的性格

鸡在属相中代表"富于幻想，行侠仗义"的堂吉诃德式的人物，他自认为是挽救世界的英雄。现实点说，鸡的特征是外表看似激进、自命不凡，而内心却保守、拘泥于传统。

鸡年出生的人相貌吸引人，特别是男子，英俊挺拔，他们也总为着自己相貌而骄傲，爱显示自己。人们不会看到他们有懒惰的样子，他们总是昂首挺胸，端庄而尊贵，即使这年出生的最怕羞的人，在人面前也仍显得精干、灵秀，显示出自己的个性气质。

属鸡人的性格基本分为两类，一类人爱好闲谈总有不少闲言碎语，且脾气火暴；另一类洞察力强，善察言观色。这两种性格的人都很难处。他们精明强干、组织能力强、严肃认真、为人直率、遇事果断。他们对残暴的行为敢于正面指出，严厉批判。他们的这些优点同时带来的缺点是，爱与人吵架、总想显示自己的知识渊博、从不顾忌别人的感受如何。

属鸡人是卓越的表演家，他们常常是活动场所的中心人物，而且光彩照人。他们的性格会给人极深的印象，一举一动都为公众注意。

所有属鸡人在家庭中都会理财，他们精打细算，力求收支平衡。他们对钱箱看得很严，对所有要办理的事都计算得极精细，也十分珍惜他们的时间。属鸡的小孩也可以担任"财产保管员"的职务，他们存放着一分分硬币，以此来扩充自己的小银行。甚至当其他漫不经心的孩子们还给他所借的钱时，还想到赚取利息。假如你有大手大脚的毛病，可将你的钱存在属鸡人那里。

属鸡人是持家好手，又喜欢解决和处理困难的问题及工作。但是，别指望他们做改革性的工作，他们能将分配给他们的事情做得很好，但缺乏创造性，很难承担那些改革性任务。

如果说属鸡人有时也会大手大脚，那么这些钱也会花在自己身上。他们对穿戴的选择很挑剔，喜欢引人注目。属鸡的人还特别看重头衔与奖章，他们都会去力争至少有一次获得奖章的机会，或者一项职业上的头衔，即使在战争中，他们也要争得一枚勋章。他们的钱除了花在自己的小家庭外，还会用在追求爱情或赢得同事的好感方面。

属鸡人如果出生在虎支配的破晓时分，他们会有唠唠叨叨的特点。他们不停地说个没完，没有一点让人清闲的时候。更糟糕的是他们往往夸夸其谈，却言之无物，没有任何有意义的正经话题。出生于夜间的属鸡人恰恰相反，他们过分严肃、保守、不善交际、对人冷淡、像个书呆子，甚至脾气古怪难以捉摸。

属鸡的妇女往往更具实际精神，不夸耀自己的功绩。她们的能力很强，处理问题干脆利落，同她们一道工作时，可以依靠她们的鼓舞保持更旺盛的精力，去完成自己的事业。

所以，人们急于找到类似属鸡这样的妇女

来协助自己工作，尽管她们表面上看起来总是服从于统筹安排，实际她们很愿意去解决繁忙纷乱的问题，以使自己的才干得到充分的发挥。属鸡的妇女比属鸡的男子更可取，她们能在任何社会工作中表现得很出色。

属鸡的妇女衣着朴素，喜爱纯朴、自然，同样依靠这种品格去扎实工作，这种作风常常受到人们的好评。

属鸡人同属蛇人合得来，属鸡人需要属蛇人聪明、圆滑性格的弥补，属蛇人则需要做事能力很强的属鸡人来辅佐，还需要属鸡人明朗、无所畏惧的生活观的鼓舞。属牛人也对属鸡人给他们的平淡生活增添色彩表示欢迎。属龙人则可以从属鸡人身上汲取树立远大设想和计划的勇气。

属虎、羊、猴、猪的人也都可以成为属鸡人的好伙伴。但两个属鸡人相遇，会发生争斗。属鸡人与属鼠人之间的争斗也十分激烈。属鸡人待人缺乏亲切感，因此与人交往应采取回避、不争吵的态度，不主动刺激、触怒对手。

属鸡的儿童

属鸡的儿童是学习主动、接受知识快、爱好小发明的可爱孩子。他们对自己不知道的事情总要寻找答案。你可以信赖他们，交给他们一些对他们有吸引力的事去做，你会看到这些孩子反应快、智力发达、精细。能教这些孩子学习是一件快乐的事。

属鸡的儿童细心、守秩序、他们做事一般都很适当，但有时也有些恶作剧，或大喊大叫使人生气。他们在家中像个小大人，有新的看法就提出来。尽管他们对自己要求比较严格，但有时也会把从其他孩子那里拿来的硬币，作为自己的收藏。

他们会是许多孩子中最爱挑剔别人毛病的孩子，有时他们会冒犯你，但你不要生气，属鸡人就是这个天性。他们的批评与挑剔是他们通过看到的事实判定的结果，不是有意伤害人。有时他们指出了你的错误而冒犯了你，使你勃然大怒或心中不快，但他们很快就会忘记你对他们的态度了，因为他们是很真心地讲出自己的想法，不想企图什么。

属鸡的儿童十分依赖家长，但轮到他们自己主持事情时，又显得独立性很强。他们讨厌别人的软弱，他们自己遇到困难时也决不哭泣。如果你做错了事，他们不会帮你弥补，但会提醒你注意。

他们乐观无畏，即使受到整个世界的谴责也绝不会中断自己执意要做的事。一经决定，驷马难追，这是他们的性格，世界上许多百万富翁都出生于鸡年，他们除了有钱外，性格还有些怪僻。

最糟糕的是他们对自己的错误视而不见，所以与他们争论只是消费时间，他们是不会承认有错的，他们认为自己的想法是唯一正确的，根本容不得别人说一个"不"字。

总之，能量大、火药味十足的属鸡人有很多长处，也有很多怪僻，他们从不采取中庸之道，你若与他们共事，如果支持他们就不能再变卦，否则你将倒霉。

属鸡人的起名

这个名字好!

取名宜有"米""豆""虫"字，食禄美满，富贵大吉；有"木""禾""玉""田"字，福禄双收，名利永在；有"月""人""宀"字，食宿安闲，多才巧智，环境良好；有"山""艹""日""金"字，智勇双全，清雅荣贵；有"石""犭""刀""力""日""酉""血""弓""糸""车""马"字，幼年不顺，或不利健康或忌车怕水。

属鸡的人的五种类型

金鸡——1921年 1981年 2041年

这一年出生的人有实践精神、易兴奋、热情、对他人有很好的感染力,分析问题逻辑性强。

他们自己有主见,也特别渴望被人看重,重视名声,他们具有雄辩家的才干,不但不轻易赞同别人的观点,而且对自己的设想也非常挑剔。尽管他们辩论中有理有据,但由于他们过分自信,也不时会出现偏袒自我而不能公正的现象。

如果他们不能保持同其他人的良好关系,他们的智慧则不会具有推动作用,他们的聪明只能变成乞求他人的工具。此时无论怎样的辩解都不会带来好结果。

他们能控制自己,不使感情过分外露。他们主张有节制的、坦然有序的生活,特别对卫生条件要求很高,对自己居住的环境要求绝对清洁无污染。

水鸡——1933 年　1993 年　2053 年

这年出生的人属于知识型，他们乐于从事文化事业。他们能力过人，除积极安排自己的计划之外，还努力帮助别人取得进步。

这年五行为水，使出生在这一年的人们有思路清晰的头脑，当他们遇到棘手的问题无从解决时，会听从别人好的建议，他们不像金鸡人那么固执，自以为是。

他们写作能力强，又是出色的演说家，他们的演说能激起人们对某种事物的共同兴趣。他们用脑计算数字就像计算机一样准确迅速，但也由于过分注意具体细节而容易忽略整体联系。

木鸡——1945年 2005年 2065年

出生在这一年的人属于富贵型，他们有条件树立宏大的生活目标。他们不像一般属鸡人那么固执，但仍然不能避免一些错误观点。他们做事时虽出于好的动机，要求自己的下级同他一样，像上紧发条的表一样紧张地工作，往往使他们的下级不堪忍受，反而使事情办不好。所以他们应该注意对别人的要求要适当，以避免给别人施加太大的压力。

木与他们诚实、正直的人品共存，使他们工作出色能吸引所有的人。

他们性格坦诚、为人公正、善于同他人交往，从不会从别人那里谋自己的私利。他们渴求志趣相投的朋友一起工作，并在工作中充分信赖他们。但他们身上仍然保持着较为鲜明的属鸡人的特点：当他们愤怒时，说话会非常尖刻，极力保护自己。

如果他们不因从事太多的工作而疲于奔命，生活对他们来说是美好的。

火鸡——1957年　2017年　2077年

出生于这一年的人，性格如同闪光的流星，有力量且勃勃生机。他们有领导能力，做事目的性强，并能独立工作，而且有技能，但有时他们过分浪费，有些神经质，脾气又很暴躁。

他们勤奋刻苦、严守制度、工作专心致志，因此能显示不一般的管理能力及领导艺术，使他们所从事的事获得成功。他们总是从亲自探索与研究过程中产生自己的观点，因而不会轻易被他人所动摇。

有时他们过分坚持己见而不能同他人达成一致，过分挑剔别人的缺点或工作中的细微之处。如果他们感到事不如意，则固执、无理地采取不容人分辩的否定态度，或者干脆捣乱，干扰别人。

尽管他们有不小的缺点，但他们做事的动机没有什么恶意。

土鸡——1909 年　1969 年　2029 年

这年出生的人勤奋好学、喜欢探索、寻求真理，也爱搜集雄辩有力的材料。他们成熟早、工作细心、有成效。他们面对那些对他们来说是艰苦的、棘手的工作，仍能勇于承担责任。他们说话直来直去，不会装腔作势，也不阿谀奉承。他们喜欢主持严肃、庄重的会议，以传教士般的精神，激励人们向他们那样工作。他们生活俭朴，性格持重。

他们将自己的成绩记录在册，企图为后代提供效仿的榜样。

他们会做个严厉的监工、严格的教师或严肃的批评者。总之，他们的成绩会很显著。

属鸡人与时辰的对应关系

子时出生（鼠时辰）
——午夜 11 时至凌晨 1 时

出生此时的人性格活泼、泼辣，

充满好奇心。

有鼠与鸡做伴，

使他们乐观、豁达。

丑时出生（牛时辰）

——凌晨1时至3时

牛鸡相遇，
象征着对权力的渴求，
他们一旦有了权力，
就会十分严厉，
甚至苛刻地行使它。

寅时出生（虎时辰）
——凌晨3时至5时

有魅力，

但忽冷忽热，

做事无条理性。

鸡的善于分析与虎的威严稳重相结合，

使此时出生者比其他人更充满自信。

卯时出生（兔时辰）
——早晨5时至7时

沉静、有效率，

但更多的是为自己的利益着想，

此时出生的人很少给别人找麻烦，

但有时爱吓唬人。

辰时出生（龙时辰）

——早晨7时至9时

此时出生的人绝对维护自己的权利。

"龙"的耀武扬威特点使他们过分武断、

挑剔，

无所畏惧。

他们会用强大的威力铲除一切不利因素。

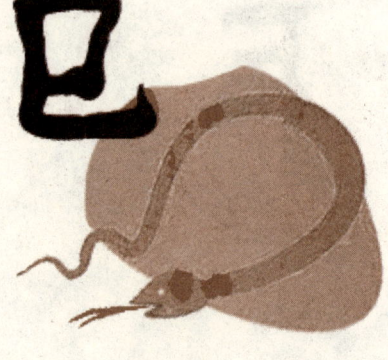

巳时出生（蛇时辰）
——上午9时至11时

此时出生的人机敏，
"蛇"影响着他们做事圆滑、诡秘，
他们总是单独做生意，
也从不亮明自己的观点。

午时出生（马时辰）
——上午 11 时至下午 1 时

此时出生的人头脑反应敏捷，

喜好大张旗鼓的声势，

追求刺激，

"马"将影响着"鸡"去选择可行性计划，

不至于因贸然行动而付出不必要的代价。

未时出生（羊时辰）
——下午1时至3时

待人和蔼可亲，
落落大方，
不固执己见。
"羊"的羞怯与"鸡"的争强好胜所中和，
使此时出生的人为人处世能恰到好处。

申时出生（猴时辰）

——下午 3 时至 5 时

此时出生的人聪明灵巧，
做事有明确的目标，
为人处世好采用调和态度。
他们是生活中快乐事业上成功的人。

生肖

你我她

酉时出生（鸡时辰）

——下午5时至7时

出生此时的人对他人的批评

非常尖刻使人不能接受，

他们对事物的态度很偏执，

好我行我素，

注重办事效率。

戌时出生（狗时辰）
——晚7时至9时

此刻出生的人善于精打细算，
但正直、公正。
"鸡"好闲言碎语的性格受到
"狗"的敦厚特征的牵制，
使他们虽仍有语言尖刻的特点，
但喜欢思考。

亥时出生（猪时辰）

——晚 9 时至 11 时

此时出生的人待人过分热心，

他们坚持帮助他人甚至不管别人是否愿意。

他们无私、

诚恳、

善交流，

看上去给人才华横溢的感觉。

属鸡人在其他生肖年中的运程

鼠 年

这一年由于收入不佳,

或别人浪费他们的钱财而不得不动用储蓄。

这一年中,他们不会得到朋友的帮助,

在同他人的合作中,

地位有下降的趋势。

要消耗大量的精力去应付工作和摆脱困境,

致使他们身体状况不好。

这一年中,他们应谨慎从事各项事务。

牛 年

牛年对属鸡人来说是补偿损失的一年。
他们会将上一年所受的损失补回来,
还将获得外界的援助。
所以这一年他们有实力与对手抗争,
家庭也有好运,
还能外出旅游。
有失血的可能,接触利器时要小心。
这一年他们当中可能会做一次手术。

虎 年

这是属鸡人事业兴旺的一年。

他们会幸运地获得钱财,

冒险生意也能获得成功。

但家里有可能出现令人担忧的事,

同时应注意,

这一年发展太快,

可能会使某项工作出现漏洞。

所以,在这一年必须保持头脑冷静。

兔　年

如果属鸡人在这一年中采取保守的态度，
将度过一年平静的日子。
这一年的股票投资浮动很大，
所以不应投资，
以免经济受损失。
在这一年常会因估算错误而造成浪费。
建议在这一年同别人合作，
不要独立经营。

龙 年

这是繁荣昌盛的一年。
成功的运气总是跟随着他们,
使他们"百事可乐",
升官晋爵。
他们家庭平安,
身体健康,
这一年也易于婚娶生育。

蛇 年

今年仍是个吉利的年头,
这一年预示着他们的进步,
地位更加稳固。
这一年中不仅会将过去的所有损失补回来,
而且还有新的进项。
这一年有可能出现意外事故,
因此不易远行。

马 年

这一年是属鸡人难对付的一年。

在生活、事业的道路上会遇到很多障碍。

从事活动的开始阶段比较顺利,

但不久就会出现复杂、棘手的问题。

这一年适于通过政治、

外交等手段缓和与对手的关系。

会出现与人争吵的不愉快场景。

但家中有好消息。

羊 年

这一年是属鸡人情况好转的一年。
在这一年中有足够的力量保护自己,
不会出现大的不利问题。
能在这一年中"收复失地",
并能在自己的事业上有所发展。
尽管会遇到困难,但影响不大。
在这一年中生活较安定,
可以休养度假。

猴 年

这是个好坏相兼的年头,
属鸡人在这一年中面临经济的困难,
生活不景气,还有家庭问题所苦恼。
会受到外界误传信息的影响
而做出错误的判断。
所以必须注重以自己的实际调查
决定自己的行动,
使这一年以相对较好的结果而结束。

鸡 年

对属鸡人来说,
这是令人兴奋、
愉快的一年,
是事情发生转机的一年。
能轻而易举地解决各种问题,
并能获得有势力、有影响的人支持。
在这一年也会卷入一些争吵中,
但不会受到伤害。

狗 年

属鸡人吉利的一年,
他们将重新获得失去的权利与地位。
这一年的收入一般,
损失也极少,
可能会长途旅行,
或参加多种娱乐活动。
这一年的计划很容易完成,
但个人生活会阴云笼罩。

猪 年

这一年对属鸡人来说是陷入困境的一年。
他们常为不断袭来的、意想不到的困难头痛，
事业有所衰败，
私人生活也充满苦恼。
所信任的助手会提出一些错误的建议，
或者怂恿他们耗费资金。
这一年不会有什么好消息。

属鸡人生月趣解

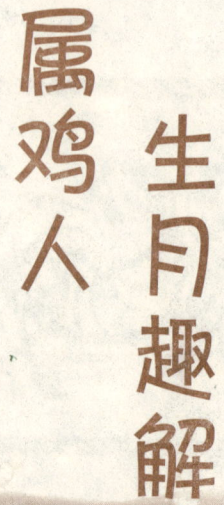

生于正月

身体健康，精力充沛，思想开放不受拘束。重视友情，没有坏的嗜好，生活严谨，家庭幸福。

生于二月

喜欢自由自在的生活，而又有坐享其成的福气，个性乐观。心胸爽朗，不怀有害人利己之心，也不容忍别人加害于己，公正和平，一生过得幸福快乐，夫妇和美。

生于三月

温柔敏慧，灵机应变，头脑灵活，但有时神精过敏，对任何事都怀疑。并不容易想念别人，交往起比较麻烦，易被朋友误会，家庭观念较淡，幸一生不愁衣食。

生于四月

志存高远，随和大方，日常生活不注重讲究，不拘小节，甚得人和。处事讲原则，事业心很强，成功的条件优越。经验丰富，夫妻幸福。

生于五月

能获得祖业之培植,个性温和,异性缘分很厚,恐心意不专,会被诱惑受困扰。

生于六月

缺乏一分耐性,对任何事情都有计较,故时常都有愁苦而能自解的麻烦,幸得天生幸运,衣食无忧。夫妻互相尊重,家庭愉快,子女孝顺。

生于七月

头脑灵活,想象力很强,有很好的口才,能说服反对他的人,是公共关系的杰出人物,前途一片光明。不过比较易招口舌是非,家中难免有纷争。

生于八月

有不屈不挠的精神,肯面对困难,经手的事,都能顺利解决。缺点是不能忍受别人的批评,制造矛盾,经常有小人暗算,备受麻烦。家庭幸福。

生于九月

个性乐观，有助人的精神，不拘小节，处世廉洁奉公，甚得人缘。对事业也有雄心，惟不重视财物，家庭观念浓厚，夫妻和顺，子女成才。

生于十月

财力势力不薄，是一个忠诚老实富有同情心的人。有坚强的意志，是外柔内刚的人，对事业有进取心，急功近利。家庭观念强，夫妻和平相处，幸福美满。

生于十一月

有才有能，建交有方，有一颗赤子之心和纯洁可爱的情感。有浓厚的博爱待人精神，与朋友关系十分良好，是生活幸福愉快的人，前途一片光明，家庭幸福快乐，终身福厚。

生于十二月

说话有煽动性，有克服困难的勇气，为大家做贡献不计较个人利益，甚得朋友信赖，是领导人才。家庭快乐，终身福厚。

属鸡人 生日趣解

生于初一

命带家庭不合、家族不合，烦恼常有。如果不着重讲信修德，有渐入衰败之象，以至于陷入不得不孤独的境地。

生于初二

只要立定方向，专心一致从事，必定成功。慎重交友，勿见异思迁，若不改变，一生无发展，慎重交友。

生于初三

心强命不强，病难不离床，初有荫佑。父母不帮忙，骨肉靠不住，一生难太多，苦恼之命，幸有贵人临危相救。

生于初四

桃花命格，与异性多起纠纷，易招口舌破财，男女都有外遇，风流成性，一生清淡。但喝酒不醉，贪色不乱，英雄豪杰。

生于初五

头脑聪明，有独立之能，事事如意，件件功成，夫妻和美，一世吉安。即使有天灾，有紫微星照耀，不必怕。

生于初六

意志不专，勇气不足，做一思二，得陇望

蜀，一事无成，平平一生。如能善与人交流，注重修德，自有成就。

生于初七

智力过人，思虑周详善于计划，无魄力，凡事过分小心，导致事业无成。女士能审时度势，把握好机遇大功可成。

生于初八

性格多变，遇事动摇不定，常处逆境，如能意志坚定，处事果断，将会有较大发展，智慧、勤劳、机遇缺一不可，机不可失。

生于初九

不为大吉，一生穷困，疾病缠身，一事无成。若出生年月占吉命势，可转为吉祥如意。

生于初十

命上有吉，有才华福振之运，无奈脾气暴躁，有时成功，有时失败，如果预先了解自己，定能成功。

生于十一

其人虚伪，办事不能实事求是，缺乏耐心，故难成就事业。如能改之，则成功有望，富有半生。

生于十二

命中不是本分之人，好色、好赌、好酒无吃苦精神，如能戒掉放荡，则免困苦之命。如生时逢亥，必走他乡方能立业。

生于十三

命带吉祥，有雄心大志，为人忠厚诚实，只要大刀阔斧去做，定能成功。交友要慎重。

生于十四

虽带有自然之吉相，无奈天生性急，做事不善计划，经常失败。小心处理交友。

生于十五

做事不坚定，时常半途而废，如能培养毅力和吃苦耐劳的精神，定有成功之希望，坚持到底就是胜利。

生于十六

有天赋之宝贵，不仅能扬名四海，并享子孙晚福，娶妻贤能，一生吉祥之命。虽说如此，要善于把握，莫负上帝恩泽于斯。

生于十七

天赋吉祥，多才多艺，满门吉昌，身轻体健，长寿、健康、子孝，一生宝贵荣达，福自天来，遇事要执着，莫负上帝。

生于十八

命带官相，光宗耀祖，家业兴旺，福成大豪或享盛誉，一生不在人下，但千万不要盛气凌人，为人处事，和为贵。

生于十九

精力旺盛，头脑聪明，做事刚毅果断胜利有望。事业应独立为佳，无论什么事业都不要合伙经营，免招暗算。

生于二十

初显虽艰难，但天赋毅志刚强，中年渐人佳境，晚年有大富大贵之命，宁受小来苦，不遭老年贪。脾气暴、心胸窄，遇事好独断专行，如能虚心容忍，定能成大事业，如不谨慎，恐会受此连累。

生于二十一

男女命占上吉，聪明富贵，胆识、才智过人，一生旺德做事，风平浪静，家居业就贤能多富，生平成多败少，属兴旺之命。

生于二十二

一生缺乏耐力，见硬就回避，没有吃苦精神。如果能遇事不气馁，白手起家定能名利双收。

生于二十三

有敏锐的头脑，和巧妙的才能，能成大功之命，如能在处人方面讲信誉，可成大事。家和万事兴。

生于二十四

手足缘薄，六亲无靠，有成业之志，但实力不足，难遂人愿，一生磨难，不顺利。如果生时好的话，必有名利显达。

生于二十五

性格稳重踏实，初时要受风霜之苦，中年后吉利运开，财源茂盛，但要切忌投机冒险。

生于二十六

带有吉祥命格，有天赋经商之才，利路通顺，财源四方，一生衣食无缺，一方富豪，此乃大富贵命。

生于二十七

男女皆吉，头脑聪明，文章出众，身心健康，但无居大官之命，只得久居于山林，待明主而择。

生于二十八

男女皆吉，头脑聪明，如能在文艺方面下苦功夫，努力进取，必有出乎意料之成功，艺术之人。

生于二十九

性格侠义，好为人排忧解难，有舍己为人的精神，乐善好施，晚年贵。如果是女性，事业成就恐有家庭失和之危。

生于三十

虽有多才多艺，而无一精，只因缺乏专心之故，如果专心进取，定能成功。所谓千般会不如一招熟，艺高不压人。

属鸡人的姻缘

古人认为，寰形相克图（下图）两端直接对应的属相是排斥的。

天　　　　　　　　　地

和　　　　　　　　　谐

鸡+鼠

他善于分析、专横武断,动辄训人。她追求完美、善于鼓励人、务实、很明了自己的权利,不愿接受批评,受到冒犯时显得没有气量,相当尖刻。他不如她对婚姻关系那样敏感和热情,而她的能干和足智多谋又使她不肯盲目听从他的命令。他们总是不必要地互相触怒。

鸡+牛

持久而出色的婚配。他开朗、坦白、勇敢，能弥补她的保守拘泥。他勤勉、严肃，很合她喜欢尊严的口味。他的清醒稳定对坚决果敢的她肯定有号召力。与他明朗乐观的性格相呼应，她将不再过分抑制，能鞭策自己取得进一步的成就。两人中她可能更慎重、更较踏实。撇开他那些画蛇添足的热闹演说不论，实际上他更愿意依靠高贵有力的她。他们都是敢于负责任而且全力以赴的。

鸡+虎

这场婚姻五味俱全。两人都是乐观、进取的人,但他们个性殊异。对性格丰富的她来说,他太利己、太偏执,而她太好斗,在他的吹毛求疵面前从不让步。换一种环境,他们可能会精力充沛、勤奋用功,但在这场婚姻中,两人却表现得狭隘而顽固。

鸡+兔

　　他们很难在对方身上寻觅到理想的爱情。两人的个性会发生激烈的冲突,并且都为对方的消极面而苦恼。他批评人时毫不留情、苛刻。她是文静的、具有艺术气质的知识妇女,有些散漫,不愿刻苦工作。当勤奋而高效率的他与她相处一段时间后,她会觉得自己像个宗教法庭上的牺牲品。她无疑会表现出敌视和沉默的态度。他那种不老练和粗俗的作风并非故意,但无法不伤害将同情、关切视如生命的她。

鸡+龙

出色而多彩的婚配。他很明智、擅长分析,并将被她大胆而闪光的个性所吸引。她能立刻发现他的知识、本领等内在价值,他们在一起可以获得理想的成功。她目标明确,不会轻易被蛮横的进攻所征服或吓倒,她还会耸耸肩而不理睬他的唠叨不休,她也有些他必需忍受的怪僻,他感到她的激情和活力似乎是无限的,令人振奋。她不反对他管她的事,只要他对她平等相待,尊重她的意见。

鸡+蛇

　　充满活力、勇敢无畏的他将给她严肃的人生观涂上一层亮色调，并成为她的精神支柱。这是双方都有益的结合。他们都有知识，但水准不同。她安详、深思、审慎，他却总是凭着热忱和无所顾忌的乐观而超负荷运转。两人的结合给了他们相互补充不足和抵消过火之处的机会。

鸡+马

不很顺利。两个有主观的人很容易互相激怒。他爱寻衅但不讲方式,还会斥责她的奢侈和不踏实。而她太讲究、太艳丽、太富于情趣,不能安于他为她安排的简单刻板的生活。他的计划很宏伟,方法又是精确可靠的,是可预见的。他不理解她多变的方法,她也不能容忍他严格的程式及与事实和数字的纠缠。

鸡+羊

固执的他把充沛的精力放在对工作精益求精上面。她则是善良、感情用事、有依赖性的。他迁就她那种对人的依靠，但受不了她的顾影自怜和散漫习惯。他更善于处理的是事实而不是她的脆弱感情。她理解他乐观的动力和雄心，但总觉得他冷冰冰的、太会打算、太特殊。如果他过多或过于严厉地指责她，他便会卷起包裹回娘家去。这场婚姻中两人都缺乏忍耐。

鸡+猴

他们的结合最有可能造成相互间的冷漠与隔阂,除非双方都能改变自己的习性,以适应对方。在这对夫妻中,妻子有极强的占有欲,她想要的东西一定要抓到手,一旦得到便不再放弃,而且从不考虑别人怎么想;而丈夫又过于严厉,以至让她的愿望常常落空。此外,她对他巧妙而吝啬的手段常常恼怒,他们各自都以错误的方式触怒对方。只有当他们表现出使对方难以抵抗的诱惑时,才能相互融洽。

鸡+鸡

这对配偶都有善良的品质,但他们之间产生争论时,便会引起一种"比对方更神圣"的不健康想法。他们都易动肝火,摆脱不了自己的观点,也不留意别人的意见。然而,他们都能适应所任的职务,并有极强的责任感,为达到一个共同的目标,他们可以忍心放弃一切。另一方面他们又是好争辩的,自以为是,固执己见。在他们的日常生活中,会出现无休止的争论,除非他们签署一个"和平条约",直到双方休战为止。

鸡+狗

毫无疑问,这对配偶都有清醒的头脑、很高的自我估价,并常为此而骄傲。然而,尽管他们都很自信、沉着、也都直言不讳、心地坦诚,但假如丈夫开始对妻子的弱点不断挑剔、唠叨不休、诉说不平时,妻子通常不会以和颜悦色来协调气氛,而是以自己辛辣的言辞反击。这对夫妻都言辞尖刻,善揭对方的"伤疤"。如果他们中某一个人能心底无私,明智地引导对方放下武器,便可形成一种融洽、和谐的关系。

鸡+猪

猪太太是逍遥自在、可信赖的形象，对人表现得很和气，从不伤害别人的感情。但鸡丈夫却经常议论指责，以不真实、自私的看法得出问题的结论。他是一位善于观察琐碎细节的丈夫，妻子亦是如此。她不善于独立思考，易接受别人的劝告，如丈夫给予妻子一点恩惠，她便欣然接受他的劝告。她乡土观念重，易被表面现象所迷惑，易被别人利用，她需要丈夫为她分担一部分忧虑。这样的结合是一种以男方为轴心的婚姻。

鼠+鸡

很难相和。她总是挑剔他的短处,并认为自己是出于好意,有责任提醒他注意。他却无法容忍她的怪癖和过分,他憎恶她这样,觉得感情受到了伤害,他希望她不要神经过敏,她对他的这种憎恶却感到惊讶,指责他忘恩负义。

牛+鸡

幸福美满的一对。他们在工作上是勤奋努力的。他自尊、勇于负责任,能干正直的她肯定会得到他的赞许。他们都热衷于从事组织工作,都能接受批评,不会认为自己受伤害而神经过敏。无论对工作和家庭事务,他们都能够客观的、井井有条的处理好,他们喜欢享受高雅的生活,在自己从事的专业上能力过人。她对他的严格并不介意,因为她自己也是很注意细节的。他能积极的听取她的批评,并不感到有损面子。

虎+鸡

他慷慨大方、坦白大度,她则经济、节俭,有条不紊。她漂亮时髦、见多识广、精力充沛,但过于挑剔,反应过快的他使她无法忍受。他十分厌烦她的絮絮不休、百般挑剔和斤斤计较。在她最能表现才智之处,他却表现得不切实际,一个不遵世俗、随心所欲;另一个古怪孤僻,只被理想所左右。他们都全神贯注于自我之中。他们不幸福,总是互相激怒。

兔+鸡

　　他喜欢被人迎合、受人服侍，而不照顾人。她太直率、太拘礼、重效益，无法容忍他那难以预测的要求。他们都有知识，但也都很怪僻。他常常在心里暗暗盘算，她则将他的过失记成一本账，总要与他清算。他们彼此都使对方感到不舒畅。

龙+鸡

能够和睦地共同生活,不过首先要弥合某些裂痕。他精悍、生机勃勃,她则注重实效,具有批评家的眼光。她的识别力和时而流露出的冷眼旁观的态度常常会打消他的盲目自信。如果他们知道自己该管的是什么,并能取得一致的话,他们会很幸福,他们在智力水平上是平等的,但谁也不要想靠自己的成就去压倒对方。

蛇+鸡

他们都精于算计、很有头脑，是周密计划的行动者。他们想要的是权利和金钱，决不愿与卑微贫穷的人们来往、交友。她讲究实效、善于持家，他是她每一场交易的幕后智囊。他们做着同样的获取声望和钱财的梦。他镇定，能够弥补她的杂乱无章和偏执，最终的决定总是靠他那天生的智慧做出的。在这场婚姻中，两人都能充分发挥自己的能力，在精神和肉体上都会得到强烈的共鸣。

马+鸡

不很和协,但有时还是切实可行的。他聪明灵活,是个多色调的、精力旺盛的行动者,她坦诚热情、很有见识,是能干的管理型人才。他可以相当风光地将工作开一个头,然后感到厌烦,便草草收场。讲求实效的她肯定会批评他对工作缺乏献身精神,但同时又会分辨轻重缓急,将这项工作做完。他超然、不拘小节,她的坦率和不断地挑毛病常常使他真正动怒,甚至不愿听完她的演说。两人都不是太敏感,如果他们认为两人的结合还是有益的话,就不要受对方缺点的过分干扰。

羊+鸡

他心好、体贴,对任何事都坚持不懈。她爱探究、分析、操纵别人的生活。他悲观且主观,她乐观且客观。她的活力和无畏的态度会把敏感、不爱张扬的羊吓坏。他觉得她对他的趣味太挑剔刻薄、说三道四。另一方面,她会说,和这么一个多愁善感、放任自流的人打交道真困难。他们在基本立场上有很大不同,这让他们不容易忍受对方。

猴+鸡

双方都有雄心,渴望得到肯定和承认。他以自己的聪明和天赋自傲。她办事效率很高,过分讲究。她常在一边窥看他,挑他的毛病。他们考验着彼此的耐心和容忍。他受不了她的好问、爱争辩。她觉得他太自信,自鸣得意,不太注意她,更不要说阐发着取悦她的见解了。如果两人始终保持伪装,以他们同样务实、强悍的性格,冲突多于合作。两人都会觉得他们的结合有些草率,除非他们决心承认一些自身的短处互相达成协议。

狗+鸡

他们的夫妻关系,必将经历从冷淡到缓和最后达到和平共处的过程。双方都有辨别是非的能力,且直率,但较挑剔,常对对方的毛病表示不满。正常情况下,他们都力求达成一致协议。但他们常显示出好斗的性格,造成了固执、互不妥协。当双方之间出现异议时,因脾气火暴而以牙还牙、互不饶人,最后发展到激烈的争斗。丈夫生性苛刻、玩世不恭,难以保持头脑清醒。妻子德行正派、踏实,但由于太严厉往往使丈夫接受不了。她一心研究改变他,使他脱胎换骨,但他尤其对这一点不能忍受。

猪+鸡

如果双方能做出适当让步,并注意培养感情,这样的婚姻是行得通的。他们的生活是会存在小的争执,如果能坦诚相见,则可以消除两人之间分歧。当妻子见地超常、强词夺理,或者不能毫无保留地追随和爱丈夫时,他则注入十二分的热情和温柔,在精神上给予其爱抚。然而,双方无疑都爱面子,不愿当面提出自己的需要。丈夫诚实、善于交往,需要得到既勤勉而又具备批评家头脑的妻子的帮助。妻子能干、自尊心强,但也迫切地需要补充性情温和的丈夫的某些长处,如交际能力的爽朗性格。

【生于春】吉祥方位：西方、西北方
吉祥颜色：白色、灰色、黄色
吉祥饰品：铜锣、金丝眼镜、金表
吉祥密码：酉、申、巳、丑、庚、辛
吉祥行业：从事与"金"相关的行业

【生于夏】吉祥方位：北方、东北方
吉祥颜色：蓝色、黑色、白色
吉祥饰品：孔子铜像、金链、蓝田玉、金笔
吉祥密码：子、丑、申、辰、亥
吉祥行业：从事与"水"相关的行业

【生于秋】吉祥方位：东方、东南方
吉祥颜色：绿色、黑色
吉祥饰品：木鱼、木佛珠、绿宝石、灵芝、竹板平安、人参王
吉祥密码：甲、乙、寅、卯、亥
吉祥行业：从事与"木"相关的行业

【生于冬】吉祥方位：南方、西南方
吉祥颜色：红色、紫色、黄色
吉祥饰品：红木用品、打火机、太阳画、牡丹花、玩具猫、骏马图
吉祥密码：午、寅、戌、巳、未
吉祥行业：从事与"火"相关的行业